Abuelos

Chema Heras

for Gabriel

Rosa Osuna

kalandraka

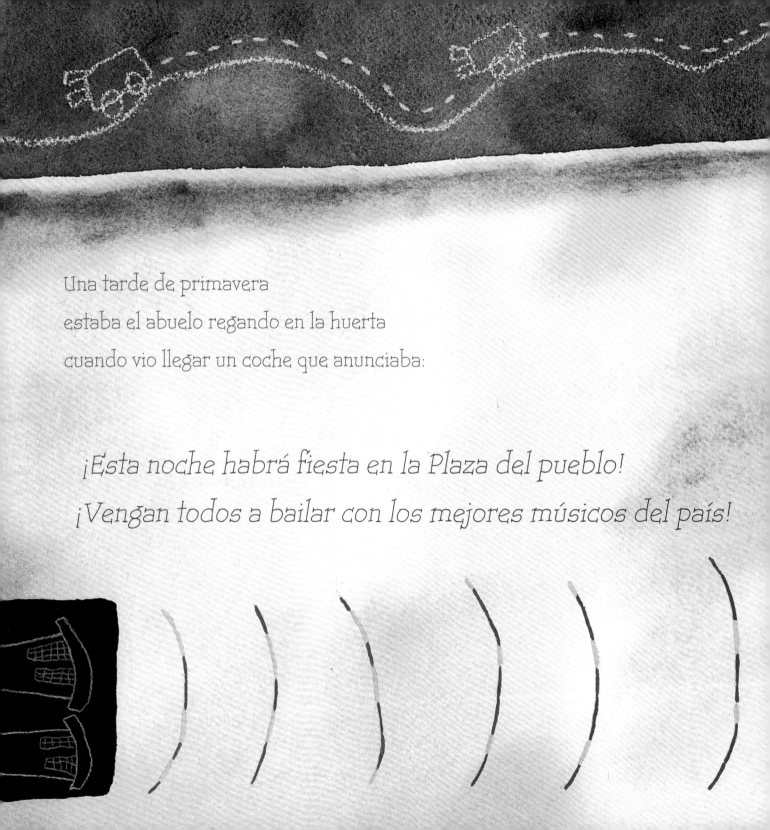

Una tarde de primavera
estaba el abuelo regando en la huerta
cuando vio llegar un coche que anunciaba:

¡Esta noche habrá fiesta en la Plaza del pueblo!
¡Vengan todos a bailar con los mejores músicos del país!

– ¿Has oído, Manuela?

¡Esta noche tenemos baile!

— Sí, Manuel; pero yo no voy.
Ya no soy una niña
para andar de fiesta en fiesta.

El abuelo no dijo nada.

Miró al sol,

que estaba a punto de esconderse en el horizonte,

y se agachó a recoger una margarita

que crecía entre la hierba.

Después se fue a donde estaba la abuela,
le dio la flor y dijo:

– Pero tú eres muy bonita, Manuela.
¡Eres tan bonita como el sol!

La abuela sonrió y fue a mirarse al espejo.

— No es verdad. Soy fea como una gallina sin plumas
-dijo ella, prendiéndose la margarita en el pelo.

— ¡No digas eso, mujer!
Tú eres bonita como el sol.

¡Y haz el favor de apurar, que tenemos que ir a bailar!

La abuela fue al baño y, de una bolsa, sacó un lápiz.

— ¿Qué vas a hacer con ese lápiz? -preguntó el abuelo.

— Voy a pintarme los ojos,
   que los tengo tristes como una noche sin luna.

— ¡No digas eso, mujer! Tú eres bonita como el sol,
   con tus ojos tristes como las estrellas de la noche.

¡Y haz el favor de apurar, que tenemos que ir a bailar!

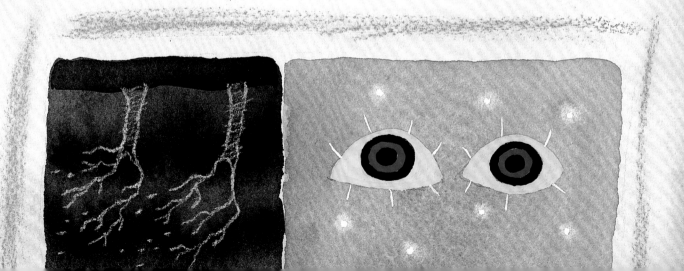

La abuela sonrió y sacó un pincel.

— ¿Qué vas a hacer con ese pincel?

— Voy a pintarme las pestañas,
que las tengo cortas como las patas de una mosca.

— ¡No digas eso, mujer! Tú eres bonita como el sol,
con tus ojos tristes como las estrellas de la noche
y tus pestañas cortas como hierba recién segada.

¡Y haz el favor de apurar, que tenemos que ir a bailar!

La abuela volvió a sonreír y, de la estantería, sacó un bote.

– ¿Qué vas a hacer con ese bote?

– Voy a ponerme crema en la piel,
que la tengo arrugada
como un higo seco.

– ¡No digas eso, mujer!
Tú eres bonita como el sol,
con tus ojos tristes
como las estrellas de la noche,
tus pestañas cortas
como hierba recién segada
y tu piel arrugada
como las nueces de una tarta.

¡Y haz el favor de apurar,
que tenemos que ir a bailar!

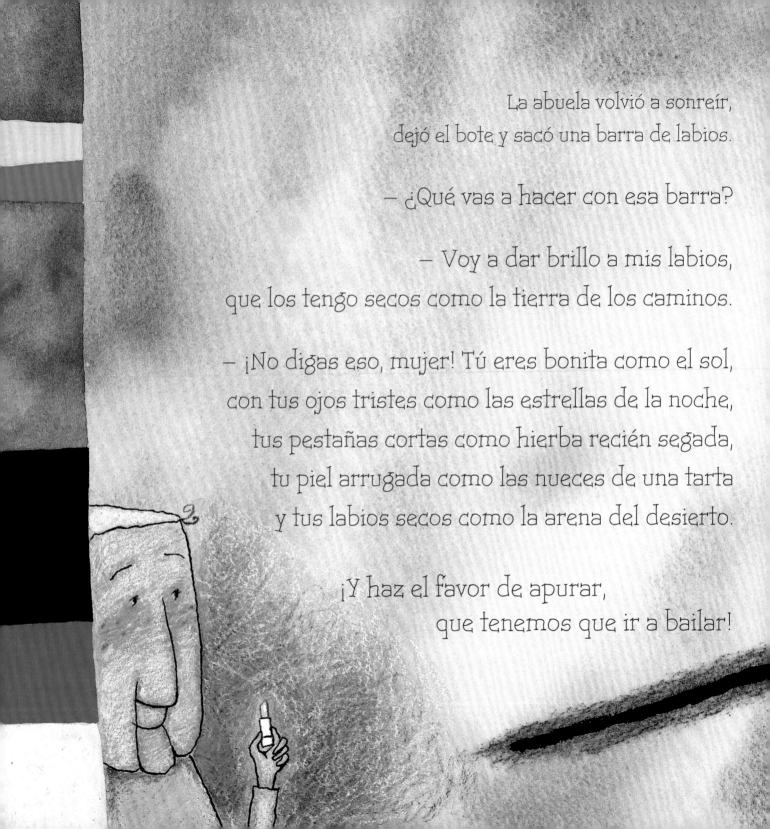

La abuela volvió a sonreír,
dejó el bote y sacó una barra de labios.

— ¿Qué vas a hacer con esa barra?

— Voy a dar brillo a mis labios,
que los tengo secos como la tierra de los caminos.

— ¡No digas eso, mujer! Tú eres bonita como el sol,
con tus ojos tristes como las estrellas de la noche,
tus pestañas cortas como hierba recién segada,
tu piel arrugada como las nueces de una tarta
y tus labios secos como la arena del desierto.

¡Y haz el favor de apurar,
que tenemos que ir a bailar!

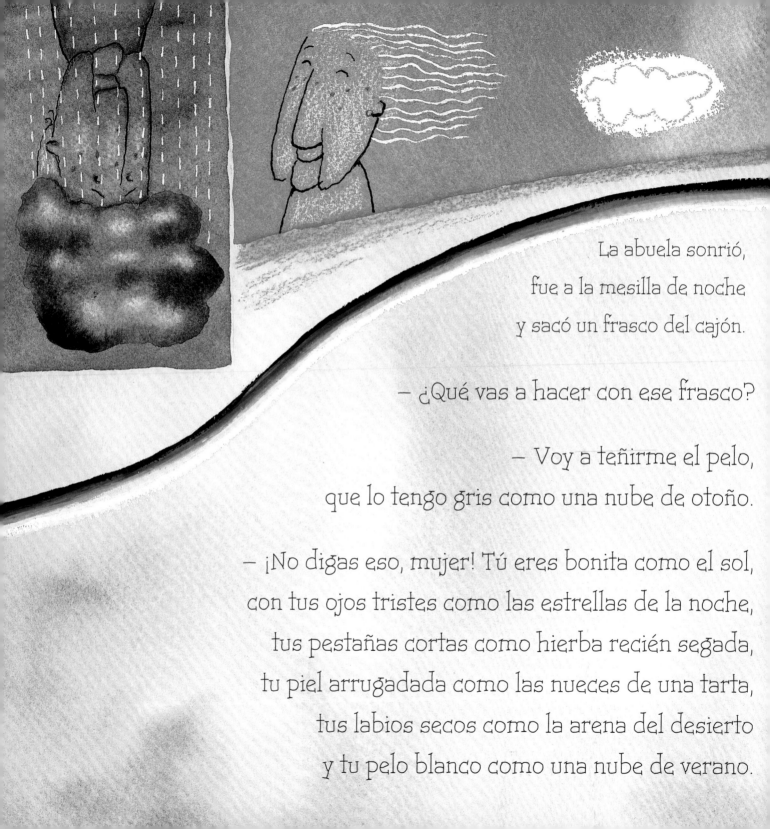

La abuela sonrió,
fue a la mesilla de noche
y sacó un frasco del cajón.

– ¿Qué vas a hacer con ese frasco?

– Voy a teñirme el pelo,
que lo tengo gris como una nube de otoño.

– ¡No digas eso, mujer! Tú eres bonita como el sol,
con tus ojos tristes como las estrellas de la noche,
tus pestañas cortas como hierba recién segada,
tu piel arrugadada como las nueces de una tarta,
tus labios secos como la arena del desierto
y tu pelo blanco como una nube de verano.

¡Y haz el favor de apurar que tenemos que ir a bailar!.

La abuela sonrió y se fue por una falda.

— ¿Qué vas a hacer con esa falda?

— Voy a esconder estas piernas,
   que las tengo flaquitas como agujas de calcetar.

— ¡No digas eso, mujer! Tú eres bonita como el sol,
   con tus ojos tristes como las estrellas de la noche,
   tus pestañas cortas como hierba recién segada,
   tu piel arrugada como las nueces de una tarta,
   tus labios secos como la arena del desierto,
   tu pelo blanco como una nube de verano
   y tus piernas flaquitas como las de una golondrina.

   ¡Y haz el favor de apurar que tenemos que ir a bailar!

La abuela colgó la falda, se fue a lavar la cara

y sonrió delante del espejo.

Después se agarró del brazo del abuelo y los dos se fueron hacia el baile.

Cuando llegaron, los músicos ya estaban tocando en el palco
y todo el mundo estaba bailando.
El abuelo tomó a la abuela por la cintura y se pusieron a bailar.
Después, miró profundamente a los ojos de la abuela y le dijo:

— Manuela,
tienes los ojos tristes y hermosos
como las estrellas de la noche.

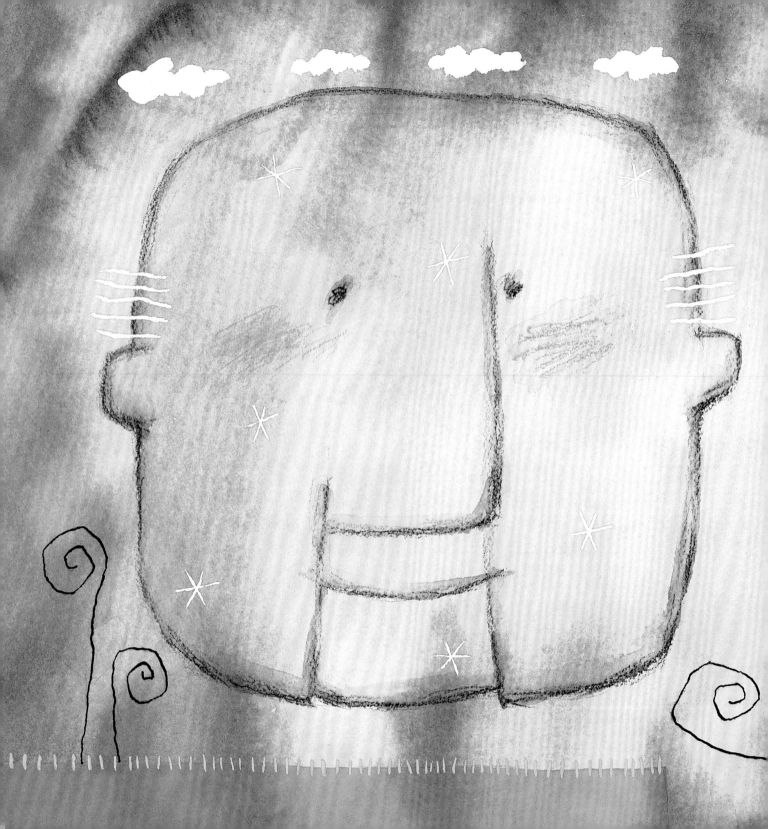

Entonces, la abuela

miró muy dentro en los ojos del abuelo,

y vio que también él tenía...

los ojos tristes como las estrellas de la noche

y las pestañas cortas como hierba recién segada

y la piel arrugada como las nueces de una tarta

y los labios secos como la arena del desierto

y el pelo blanco como una nube de verano

y las piernas flaquitas como las de una golondrina.

La abuela se agachó a recoger una margarita,

la prendió en el chaleco del abuelo

y se acurrucó en su pecho.

Después miró al cielo,

volvió a mirar a los ojos del abuelo

y, sin dejar de bailar, le dijo:

— ¡Manuel, eres tan bonito como la luna!

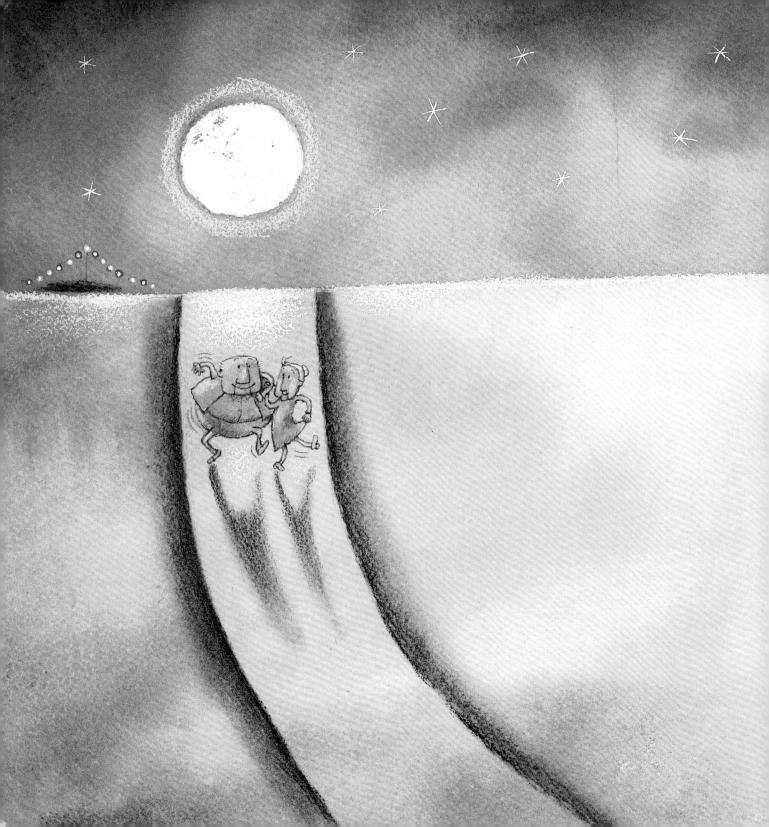